G000149195

CAERLLION

Mae olion caer y lleng Rufeinig yng Nghaerllion yn mynd yn ôl i *c.*75 OC ac mae'n un o'r safleoedd milwrol pwysicaf sydd wedi goroesi yn Ewrop. Ychydig y tu allan i hen ffiniau'r gaer saif theatr gron Rufeinig sydd wedi goroesi mewn cyflwr rhyfeddol o dda. Adeiladwyd hi ar gyfer 5,000 o wylwyr. Mae'n cynnwys clawdd pridd yn cael ei gynnal gan fur o gerrig, lle mae wyth mynedfa i'r man perfformio. Yn ystod y 12fed ganrif awgrymwyd bod y Brenin Arthur wedi ei goroni yng Nghaerllion a bod ei brifddinas yma, a dechreuwyd galw'r theatr gro n yn 'Ford Grony Brenin Arthur'.

CAERLEON

The remains of the Roman legionary fortress at Caerleon date from *c.* AD 75, and form one of the most important surviving military sites in Europe. Just outside the former boundaries of the fortress stands a remarkably well-preserved Roman amphitheatre, built to seat 5,000 spectators. This consists of an earth bank supported by a stone wall, in which there are eight entrances into the hollow performance area. During the 12th century it was suggested that King Arthur had been crowned at Caerleon, and the amphitheatre became known as 'King Arthur's Round Table'.

CASTELL CAERFFILI

Adeiladwyd y castell anferth a grymus hwn ar safle caer Rufeinig, a'i ddechrau gan Gilbert de Clare ym 1268 fel amddiffynfa yn erbyn y tywysog uchelgeisiol, Llywelyn ap Gruffudd. Llwyddodd ymosodiad Llywelyn ar y castell ym 1270 pan losgwyd ef, ond ailddechreuodd de Clare adeiladu'r castell y flwyddyn ganlynol. Mae trefniant cymhleth Castell Caerffili o amddiffynfeydd carreg a dŵr yn dilyn cynllun consentrig bygythiol, lle mae llinellau amddiffyn wedi eu gosod y tu mewn i'w gilydd.

CAERPHILLY CASTLE

Built on the site of a Roman fort, this mighty and impregnable castle was started by Gilbert de Clare in 1268 in defence against the ambitious Welsh prince, Llywelyn ap Gruffudd. Llywelyn successfully attacked the castle in 1270, but de Clare resumed building the following year. Caerphilly's elaborate arrangement of stone and water defences follows an intimidating concentric plan, in which lines of defence are set one inside the other.

CASTELL CAERDYDD

Ailgodwyd Castell Caerdydd sydd yng nghanol y ddinas yn ystod ail hanner y 19eg ganrif gan Drydydd Ardalydd Bute a'i bensaer, William Burges. Ailgread o freuddwyd ganoloesol ffansïol o gyfnod Victoria yw'r castell, gyda thyredau a thoeon pigog Gothig a thu mewn wedi ei addurno'n rhodresgar, yn llawn delweddau rhyfeddol. Er i'r castell gael ei adeiladu'n bennaf yn ystod yr Oesoedd Canol, mae'r gorthwr Normanaidd, sy'n rhyfeddol o gyfan, ac olion y cerrig Rhufeinig yn ei furiau yn tystio i'w darddiad.

CARDIFF CASTLE

Reconstructed in the second half of the 19th century by the Third Marquess of Bute and his architect, William Burges, Cardiff's city-centre castle is a fanciful Victorian recreation of a medieval dream, with flamboyant Gothic turrets and spires, and an ostentatiously decorated interior that is full of dazzling imagery. Though the castle was largely built in the medieval period, the remarkably intact Norman keep, with remnants of Roman stonework in its walls, testifies to its origins.

LLANDAFF CATHEDRAL

Though the oldest parts of Llandaff Cathedral are the remains of a 12th-century stone church built by Bishop Urban, the first cathedral on this site was St Teilo's 'Little Minster', built in 560. After a prosperous medieval period the cathedral fell into ruins. It was restored in the 18th and 19th centuries, and again in the 20th century after suffering extensive war damage in 1941.

MILLENNIUM STADIUM

Cardiff's city-centre Millennium Stadium was built in time to host the 1999 Rugby World Cup. Constructed to high architectural specifications, with a natural grass pitch, fully retractable roof and excellent facilities for its 72,500 spectators, the stadium provides a focal point for the nation's passion, the game of rugby.

EGLWYS GADEIRIOL LLANDAF

Er mai olion eglwys o garreg a godwyd yn y 12fed ganrif gan yr Esgob Urban yw rhannau hynaf Eglwys Gadeiriol Llandaf, yr eglwys gadeiriol gyntaf ar y safle hwn oedd 'Cadeirlan Fach' Teilo Sant, a godwyd yn y flwyddyn 560. Ar ôl cyfnod ffyniannus yn yr Oesoedd Canol, dadfeilio wnaeth yr eglwys. Cafodd ei hadfer yn y 18fed a'r 19eg ganrif, ac eto yn yr 20fed ganrif ar ôl ei niweidio'n sylweddol adeg y rhyfel ym 1941.

STADIWM Y MILENIWM

Codwyd Stadiwm y Mileniwm yng nghanol Caerdydd mewn pryd i groesawu Cwpan Rygbi'r Byd 1999. Fe'i hadeiladwyd yn ôl cyfarwyddiadau pensaernïol manwl iawn. Mae yno gae o borfa, to y gellir ei agor a'i gau'n llwyr, a chyfleusterau gwych ar gyfer 72,500 o wylwyr, ac mae'r stadiwm yn ganolbwynt i hoff adloniant y wlad, sef rygbi.

CASTELL CAS-GWENT

Yn uchel ar graig uwchlaw Afon Gwy
saif castell anferth Cas-gwent. Yn y
canol mae'r amddiffynfa gyntaf ym
Mhrydain i'w chodi o garreg, sef gorthwr Normanaidd a godwyd
yn fuan ar ôl Brwydr Hastings gan William fitz Osbern fel arwydd
o nerth y Normaniaid. Datblygwyd y castell hwn yn ei safle
dramatig yn gyson dros y canrifoedd, yn enwedig yn ystod y 13eg
ganrif, pan wnaed ef lawer yn fwy o ran maint a chryfder. Daeth o
dan warchae gan y Seneddwyr a syrthiodd ddwywaith yn ystod y
Rhyfel Cartref yn yr 17eg ganrif.

CHEPSTOW CASTLE

Perched high on a narrow spur above
the River Wye stands the mighty castle
of Chepstow. At its heart is Britain's first
stone-built fortification, a Norman keep built soon after
the Battle of Hastings by William fitz Osbern as a show of
Norman power. This dramatically positioned castle
underwent successive developments through the centuries,
particularly during the 13th century when its size and
strength were greatly increased. It came under siege twice
during the Civil War of the 17th century.

CASTELL MAENORBŶR

Mae Castell Maenorbŷr yn enwog fel man geni Gerald de Barri ym 1146, a adwaenir fynychaf fel Gerallt Gymro neu Giraldus Cambrensis, gŵr llys enwog, awdur ac arweinydd eglwysig. Cafodd y castell cyntaf ar y safle hwn, sef amddiffynfa Normanaidd o bridd a phren, ei godi gan daid Gerallt, Odo de Barri, a oedd wedi cael y tir yn rhodd am wasanaeth teyrngar yn ystod y Goncwest Normanaidd. Mae'r castell presennol wedi ei gadw'n rhyfeddol, a saif mewn ardal wledig hardd a ddisgrifiwyd gan Gerallt fel 'y man mwyaf dymunol yng Nghymru'.

MANORBIER CASTLE

Manorbier Castle is famous as the birthplace, in 1146, of Gerald de Barri, more commonly known as Gerald of Wales or Giraldus Cambrensis, famous courtier, writer and churchman. The first castle on this site, a Norman fortification of earth and timber, was built by Gerald's grandfather, Odo de Barri, who had been awarded the land for loyal service during the Norman Conquest. The superbly preserved castle is situated in lovely countryside, which Gerald described as 'the pleasantest spot in Wales'.

CASTELL PENFRO

Dechreuwyd adeiladu castell grymus Penfro ym 1093 gan Roger Montgomery, a gododd gadarnle o bridd a phren ar gefnen rhwng dwy aber. Mae'r rhan fwyaf o'r castell a welwn heddiw yn perthyn i'r 13eg ganrif, er mai gwaith adfer yn y 19eg a'r 20fed ganrif sy'n gyfrifol am ei gyflwr ardderchog. O gwmpas y gorthwr crwn cromennog o'r 12fed ganrif, sef prif nodwedd y castell, ceir dau lwyfan ymladd consentrig. Yn ystod y Rhyfel Cartref daeth y castell o dan warchae gan Oliver Cromwell ei hun, a ymosododd arno'n barhaus am saith wythnos.

PEMBROKE CASTLE

The mighty castle of Pembroke was started in 1093 by Roger of Montgomery, who built an earth and timber stronghold on a ridge between two tidal inlets. Most of the castle we see today dates from the 13th century, though restoration in the 19th and early 20th centuries is responsible for its almost perfect state of preservation. The impressive late 12th-century circular domed keep that dominates the castle has two concentric fighting galleries around it. During the Civil War the castle was besieged by Oliver Cromwell himself, and subjected to seven weeks of continuous artillery bombardment.

CASTELL PEN-HW

Pen-hw yw'r castell hynaf yng Nghymru sydd â theulu'n byw ynddo, ac mae'n enghraifft wych o faenordy castellog o'r Oesoedd Canol. Gorthwr Normanaidd o garreg ydoedd yn wreiddiol, lle'r oedd Syr Roger de St Maur yn byw erbyn 1129, a hwn oedd cartref Prydeinig cyntaf y teulu a ddaeth yn enwog fel y teulu Seymour. Prynwyd y castell ym 1973 gan Stephen Weekes, cyfarwyddwr ffilmiau ac awdur, ac mae gwaith adfer a chadwraeth wedi ei wneud yno byth er hynny.

PENHOW CASTLE

The oldest lived-in castle in Wales, Penhow is an excellent example of a medieval fortified manor house. Originally a Norman stone keep, it was occupied by Sir Roger de St Maur by 1129, and was the first British home of the family which was to become known as Seymour. The castle was bought in 1973 by Stephen Weekes, a film director and writer, and work on its restoration and preservation has been carried out ever since.

CASTELL RHAGLAN

Mae Castell Rhaglan yn adeilad unigryw a hardd iawn a godwyd yn wreiddiol ar fwnt Normanaidd tua 1435 gan William ap Thomas, marchog a fu'n ymladd gyda Harri V ym Mrwydr Agincourt ym 1415. Cododd William ap Thomas orthwr chweochrog o dywodfaen melyn – fe'i gelwir nawr yn Dŵr Melyn Gwent – a muriau a ffos o'i amgylch. Perchennog nesaf y castell ac un o wŷr amlwg y Iorciaid, sef Syr William Herbert, Iarll Penfro, a gyfrannodd fwyaf ato, ac mae arddull ei ychwanegiadau ef yn nodweddiadol o Duduraidd.

RAGLAN CASTLE

The unique and handsome Raglan Castle was started on a Norman motte in about 1435 by William ap Thomas, a Welsh knight who had fought with Henry V at the Battle of Agincourt in 1415. Thomas built a hexagonal keep in pale gold sandstone – now known as the Yellow Tower of Gwent – surrounding it with walls and a moat. The greatest contributions to the castle were made by its next owner, Sir William Herbert, Earl of Pembroke, whose additions are in distinctive Tudor style.

EGLWYS GADEIRIOL TYDDEWI

Yr oedd Eglwys Gadeiriol Tyddewi yn gyrchfan poblogaidd i
bererinion drwy gydol yr Oesoedd Canol, ac mae'n dal i
ddenu miloedd o ymwelwyr bob blwyddyn. Rhoddwyd
statws dinas i bentref Tyddewi gan y Frenhines Elizabeth II, a
saif y gadeirlan mewn pant wrth ymyl Afon Alun, lle
sefydlodd Dewi, ein nawddsant, fynachlog yn y 6ed ganrif.
Dechreuwyd adeiladu'r eglwys bresennol ym 1176 ac mae
ynddi lawer o waith crefftus iawn. Wrth ymyl yr eglwys saif
adfail gwych Palas yr Esgob o'r Oesoedd Canol.

ST DAVIDS CATHEDRAL

St Davids Cathedral, a popular pilgrimage destination
throughout the medieval period, still attracts thousands of
visitors each year. Situated in a little village that was granted
city status by Queen Elizabeth II, the cathedral stands in a
hollow beside the River Alun, where St David, patron saint of
Wales, founded a monastery in the 6th century. The present
cathedral was started in 1176, and displays much fine
craftsmanship. Beside the cathedral stand the magnificent
ruins of the medieval Bishop's Palace.

PENRHYN DEWI

Ar y graig fwyaf gorllewinol yng Nghymru, sef Penrhyn Dewi, mae yna arwyddion cyffrous o'r cyfnod cyn hanes. Defnyddid mur hir o gerrig a elwir 'Warrior's Dyke' fel amddiffynfa ddwy neu dair mil o flynyddoedd yn ôl, ac mae'r cytiau crwn a welir yno yn tystio i fodolaeth y pentref o Oes yr Haearn. Hynach byth yw 'Coitan Arthur' o Oes y Cerrig, sef siambr gladdu o feini hirion a maen capan anferth.

ST DAVIDS HEAD

The most western point of Wales, St Davids Head, is a rocky promontory on which can be found some exciting signs of prehistory. A long stone wall known as 'Warrior's Dyke' served as a defence some two to three thousand years ago, and evidence of an Iron Age village can be seen. Older than this is the Stone Age 'Arthur's Quoit', a burial chamber consisting of standing stones supporting a huge cap-stone.

ABERTAWE

Hwyrach mai brenin y Llychlynwyr, Svein Forkbeard, a sefydlodd Abertawe gan alw'r lle yn Svein's Ey, a pharhaodd yn nwylo estroniaid nes ei gipio gan Owain Glyndŵr ar ddechrau'r 15fed ganrif. Dechreuwyd adeiladu llongau a chloddio am lo yn Abertawe yn ystod y 14eg ganrif, ac yn ystod y Chwyldro Diwydiannol (*c.*1750–1850) daeth yn ganolfan fetelegol bwysig a'i dociau'n brysur yn allforio nwyddau i bob rhan o'r byd.

Oherwydd niwed helaeth gan fomiau adeg yr Ail Ryfel Byd, cafodd canol dinas Abertawe ei ailadeiladu, ac yn ystod y blynyddoedd diwethaf mae hen ardal y dociau wedi ei hailddatblygu fel yr Ardal Forwrol gyda chyfleusterau hamdden, marinas ac amgueddfeydd arbennig iawn.

SWANSEA

Swansea, having been founded perhaps by the Viking king Svein Forkbeard who named it Svein's Ey, remained in foreign hands until it was captured by Owain Glyndŵr at the start of the 15th century. Swansea's shipbuilding and coalmining industries began during the 14th century, and during the Industrial Revolution (*c.*1750–1850) it became an important metallurgical centre, its docks busy with ships exporting goods worldwide.

Having suffered extensive bomb damage during World War II, Swansea's city centre was rebuilt, and in recent years the old dock area has been redeveloped as the Maritime Quarter with leisure facilities and museums.

ABATY TYNDYRN

Saif adfeilion tawel Abaty Tyndyrn yn nyffryn gwyrdd, coediog Afon Gwy. Sefydlwyd yr Abaty ar gyfer urdd y Brodyr Gwynion ym 1131 gan Walter de Clare a'i ailgodi ddiwedd y 13eg ganrif. Adfeilion yr adeilad hwnnw sydd i'w gweld yno heddiw. Tyfodd Tyndyrn yn abaty cyfoethocaf Cymru, ond ar ôl Diddymu'r Mynachlogydd ym 1536 cafodd ei esgeuluso a'i reibio.

Byddai ymwelwyr yn cael eu denu gan adfeilion yr abaty tua diwedd y 18fed ganrif, ac yn eu plith Turner yr arlunydd a Wordsworth y bardd. Mae awyrgylch ramantus yr adfeilion yn dal i ddenu llawer o ymwelwyr.

TINTERN ABBEY

The peaceful ruins of Tintern Abbey stand in the green, wooded valley of the River Wye. Founded for Cistercian monks in 1131 by Walter de Clare, the abbey was rebuilt in the late 13th century, and it is the ruins of this building that we see today. Tintern became the wealthiest abbey in Wales, but following the Dissolution of the Monasteries in 1536 was neglected and pillaged.

The abbey ruins caught the imagination of tourists in the late 18th century, including the painter Turner and the poet Wordsworth. Today the romantic atmosphere of the ruins continues to attract many visitors.

PEN PYROD

Yn ymestyn allan i'r môr o ben deheuol Bae Rhosili, ym mhen pellaf Penrhyn Gŵyr, mae Pen Pyrod, clogwyn garw a chreigiog y gellir ei gyrraedd pan fydd y llanw'n isel. Daw'r enw Saesneg Worm's Head o'r gair Hen Saesneg *wyrm*, sy'n golygu sarff. Gellir cyrraedd Pen Pyrod am 4–5 awr pan fydd y llanw'n isel, ond rhybuddir cerddwyr i amseru eu hymweliad yn ofalus rhag i'r llanw eu rhwystro rhag dychwelyd.

WORMS HEAD

Stretching out into the sea from the southern end of Rhossili Bay, at the tip of the Gower Peninsular, is Worms Head, a rugged and rocky island that becomes connected with the mainland at low tide. Its name is derived from the Old English word *wyrm*, meaning serpent. Worms Head becomes accessible for 4–5 hours at low tide, but walkers are warned to time their visit carefully so that they do not get cut off by the rising water.

BANGOR

Bu dinas brifysgol Bangor yn ganolfan crefydd a dysg er 525 OC, pan sefydlwyd mynachlog yno gan Deiniol Sant ar safle'r eglwys gadeiriol bresennol. Ystyr y gair 'bangor' yw ffens wedi ei phlethu, fel yr un a amgylchynai ganolfan Deiniol.

Mae'r pier 1,550tr (472m) o hyd a adeiladwyd ym 1896 wedi ei adfer i'w hen ysblander yn Oes Victoria, gyda siopau, caffes ac adloniant. Mae'n ymestyn hanner y ffordd ar draws Afon Menai, ac o'i ben pellaf ceir golygfa wych o Ynys Môn.

BANGOR

The university city of Bangor has been a seat of religion and learning since AD 525, when a monastery was founded by St Deiniol on the site of the present cathedral. The name Bangor comes from the 'bangori', or wattle fence, that surrounded St Deiniol's primitive enclosure.

The 1,550ft (472m) pier, built in 1896, has been restored to its Victorian splendour, with shops, cafés and amusements. It reaches halfway across the Menai Strait, and its northern-most tip offers marvellous views over to the Isle of Anglesey.

CASTELL BIWMARES

Saif castell grymus Biwmares ar Ynys Môn ar lannau'r Fenai.
Dechreuwyd codi'r castell ym 1295, a hwn oedd yr olaf a'r mwyaf o
wyth castell Edward I yng Nghymru. Castell consentrig ydoedd,
bron yn berffaith ei ffurf ac wedi ei godi gydag amddiffynfeydd
soffistigedig iawn y credid na ellid eu treiddio. Ond prin y cawsant
eu profi erioed. Yr oedd yna gynlluniau ar gyfer llety moethus yn y
castell, ond pan droes Edward ei sylw a'i arian at ei ymgyrchoedd yn
yr Alban, daeth y gwaith ar Gastell Biwmares i ben.

BEAUMARIS CASTLE

The powerful castle of Beaumaris sits on the shores of the
Menai Strait, on the Isle of Anglesey. Started in 1295, it
was the last and largest of Edward I's eight Welsh castles. A
concentric castle of almost perfect symmetry, it was built
with highly sophisticated defences that were believed to be
impregnable, but were virtually never put to the test.
There were plans for lavish accommodation in the castle,
but when Edward turned his attentions and finances to his
Scottish campaigns, work on Beaumaris came to a halt.

CASTELL CAERNARFON

Mae'n sicr mai'r gaer anferth yng Nghaernarfon yw'r castell mwyaf godidog yng Nghymru, gyda'i dyrau polygonaidd a'i haenau o gerrig lliw sy'n dynwared muriau Caer Gystennin. Dechreuodd Edward I godi'r castell ym 1283 gan fwriadu iddo fod yn gadarnle milwrol, yn ganolfan i'w lywodraeth ac yn gartref brenhinol. Yr oedd yn arwydd grymus o oruchafiaeth Lloegr dros y Cymry.

Yr oedd arwisgiad y Tywysog Charles yn Dywysog Cymru yma ym 1969 yn atgof o arwisgiad Tywysog Seisnig cyntaf Cymru, Edward II, yn fuan ar ôl ei eni ym 1284.

CAERNARFON CASTLE

The mighty medieval fortress at Caernarfon is probably the most impressive castle in Wales, its unusual polygonal towers and banded masonry imitating the walls of Constantinople. Started by Edward I in 1283 as part of his 'iron ring' of castles and intended as a military stronghold, a seat of government and a royal residence, it provided a powerful symbol of England's dominance over the Welsh.

Prince Charles' investiture here as the Prince of Wales in 1969 echoed that of the first English Prince of Wales, Edward II, soon after his birth in 1284.

CASTELL Y WAUN

Cododd Edward I y gaer hon ar ben bryn ar y gororau tua 1295. Ers hynny mae wedi ei ddefnyddio'n barhaus, ac mae'r cartref moethus hardd a welwn yma heddiw yn cyfuno arddulliau sawl cyfnod pensaernïol gwahanol. Wrth y fynedfa i'r castell mae yna bâr o gatiau cain a wnaed ym 1719–21 gan y brodyr Davies enwog. Yr Ymddiriedolaeth Genedlaethol biau'r castell erbyn hyn, ac o'i gwmpas mae gerddi ffurfiol hardd gyda chloddiau ffansi a llawer iawn o lwyni blodeuog gwych.

CHIRK CASTLE

Edward I built this border stronghold on its hilltop site in about 1295. Since then it has been occupied continuously, and the elegant stately home that we see today combines the styles of many different architectural periods. At the entrance to the castle is a pair of particularly fine elaborate iron gates, made by the celebrated Davies brothers in 1719–21. Now owned by The National Trust, the castle is surrounded by beautiful formal gardens with topiary hedges and many flowering shrubs.

PONT FFORDD A PHONT DDŴR Y WAUN

Mae'r Bont Ffordd a'r Bont Ddŵr ddramatig yn y Waun yn croesi Dyffryn Ceiriog i'r de o dre'r Waun ar y gororau. Cafodd y bont ffordd 100tr (30m) o uchder sy'n cario'r rheilffordd, ac sydd tua 30tr (9m) yn uwch na'r bont ddŵr gerllaw, ei hadeiladu ym 1846–8 a'i hailadeiladu ym 1858 gan y peiriannydd Henry Robertson o'r Alban. Mae'r bont ddŵr, a gwblhawyd gan Thomas Telford ym 1801, yn cario cangen Llangollen o Gamlas y Shropshire Union. Mae'n bosibl hurio cwch cul am ddiwrnod i archwilio'r gamlas, neu gerdded ar hyd y llwybr halio.

CHIRK VIADUCT AND AQUEDUCT

The dramatic Chirk Viaduct and Aqueduct span the Ceirog Valley south of the border town of Chirk. The 100ft- (30m-) high railway viaduct, which stands some 30ft (9m) proud of the adjoining aqueduct, was erected in 1846–8 and rebuilt in 1858 by the Scottish engineer Henry Robertson. The aqueduct, which was completed by Thomas Telford in 1801, carries the Llangollen branch of the Shropshire Union Canal. It is possible to hire a narrow boat for the day to explore the canal, or to walk along the towpath.

CONWY

Yn edrych i lawr ar y fynedfa i dref gaerog Conwy o'r Oesoedd Canol mae castell anferth Edward I, a godwyd ar ôl iddo orffen concro Gwynedd ym 1283. Cafodd ei godi bron yn llwyr mewn 4¹/₂ blynedd. Cafodd cestyll Edward yng Nghymru eu llunio a'u hadeiladu gan y prif adeiladwr, James of St George, ond yr oedd Conwy'n wahanol i'w gestyll eraill, a oedd yn rhai consentrig gan mwyaf, am iddo gael ei godi yn ôl cynllun llinellol oherwydd ffurf y safle creigiog. Mae'r wyth tŵr anferth gyda'u tyredau a'r muriau cysylltu i gyd yn gyfan.

Mae'r awyrgylch yng Nghonwy yn hollol ganoloesol o hyd, ac mae'r muriau sydd wedi eu diogelu'n wych ac sy'n ymestyn am ³/₄ milltir, yr 21 o dyrau a'r tri phorth yn ffurfio un o'r cylchoedd muriau canoloesol mwyaf cyflawn yn Ewrop gyfan.

CONWY

Dominating the entrance to the fine medieval walled town of Conwy stands Edward I's mighty fortress, built following the completion of his conquest of Gwynedd in 1283 and largely finished in 4¹/₂ years. Edward's castles in Wales were designed and built by the master builder James of St George, but Conwy differed from his other castles, mostly concentric in design, by being built to a linear plan dictated by the shape of its rock site. The castle's eight great towers and connecting walls are all intact.

The town of Conwy retains a distinctly medieval atmosphere, and its superbly preserved walls, punctuated by 21 towers and three gateways, form one of the most complete medieval wall circuits in Europe.

CASTELL CRICIETH

Uwchlaw tref lan-môr boblogaidd Cricieth, ar glogwyn creigiog, saif adfail rhyfeddol Castell Cricieth. Cadarnle'r Cymry oedd hwn, a ddechreuwyd yn gynnar yn y 13eg ganrif, hwyrach gan Llywelyn ap Iorwerth, a'i ddatblygu'n ddiweddarach yn y ganrif honno, o bosibl gan Llywelyn ap Gruffudd. Cipiwyd y castell gan y Saeson ym 1283 a'i ehangu ar orchymyn Edward I, ond ym 1404 cafodd ei oresgyn a'i losgi gan Owain Glyndŵr.

Yn anffodus, ni chafodd y gwaith o adeiladu Castell Cricieth ei gofnodi'n iawn erioed, a heddiw mae'r arbenigwyr yn anghytuno ynglŷn â pha rannau o'r castell a gafodd eu codi ym mha gyfnod.

CRICCIETH CASTLE

The ruin of Criccieth Castle stands on a rocky promontory that juts out into the sea. This was a native Welsh stronghold, started in the early 13th century perhaps by Llywelyn ap Iorwerth, and developed later in the century possibly by Llywelyn ap Gruffudd. It fell to the English in 1283 and was enlarged at the order of Edward I, but in 1404 was sacked and burned by Owain Glyndŵr.

Regrettably the building of Criccieth Castle was never properly documented, and experts today disagree as to which parts of the castle were built in which period.

CASTELL HARLECH

Saif castell grymus Harlech mewn safle dramatig ar benrhyn creigiog rhwng Eryri a'r môr. Cafodd ei godi ym 1283–9 fel rhan o 'gylch haearn' o gestyll Edward I, ac mae'n gampwaith o bensaernïaeth filwrol yr Oesoedd Canol. Adeg adeiladu'r castell, deuai'r môr i fyny mor bell â'r graig lle saif, a chyda ffosydd sych, dwfn o boptu, cynllun consentrig a mynedfa na allai neb ei threchu, yr oedd y gaer yn amddiffynfa nerthol iawn. Tua chanol y 15fed ganrif, llwyddodd i wrthsefyll yr Iorciaid am saith mlynedd yn y gwarchae hiraf i'w gofnodi ym Mhrydain erioed.

HARLECH CASTLE

The powerful Harlech Castle is dramatically situated on a high, rocky outcrop between the mountains of Snowdonia and the sea. It was built in 1283–9 as part of Edward I's 'iron ring' of castles, and is a masterpiece of medieval military architecture. At the time of the castle's construction the sea came right up to the rock on which it stands, and with deep dry moats on two sides, a concentric plan and an impregnable gate passage, the fortress was strongly defended. In the middle of the 15th century it held out against the Yorkists for seven years in the longest recorded siege in Britain.

PONT MENAI

Codwyd pont grog hardd Thomas Telford dros Afon Menai ym 1819–26 i gysylltu Ynys Môn â'r tir mawr. Codwyd hi'n uchel iawn er mwyn i longau allu mynd odani, a chyda bwa canol o 579tr (176m), hi oedd y bont grog fwyaf yn y byd pan gwblhawyd hi. Gwnaed cryn waith ailadeiladu arni ym 1938–41, pan gafodd yr adeiladwaith ei atgyfnerthu a'r ffordd ei lledu. Ychydig tua'r de-orllewin, mae Pont Britannia yn cario rheilffordd a ffordd i gerbydau.

MENAI BRIDGE

Thomas Telford's elegant suspension bridge over the Menai Strait was built in 1819–26, linking the Isle of Anglesey to the mainland. It was set very high to allow tall ships to pass beneath it, and with a central span of 579ft (176m) was the largest suspension bridge in the world at the time of its completion. Considerable rebuilding work took place in 1938–41 when the structure was strengthened and the roadway widened. A little to the south-west, the Britannia Bridge carries both a railway line and a road.

CLAWDD OFFA

Tua 784 adeiladodd Offa, Brenin grymus Mercia, glawdd fel llinell derfyn rhwng ei deyrnas ei hun a llwythau'r Cymry i'r gorllewin. Ffos ddofn a gwrthglawdd oedd hwn, yn cysylltu â rhwystrau naturiol i greu ffin a redai o arfordir y gogledd ger Prestatyn i arfordir y de ger Cas-gwent. Clawdd Offa yw'r clawdd mwyaf o'i fath yn Ewrop, ac mae'n tystio i rym rhyfeddol y brenin a'i cododd. Mae sawl rhan o Glawdd Offa i'w gweld yn glir hyd heddiw, ac mae llwybr amrywiol a difyr yn rhedeg am 177 milltir (285km) ar ei hyd.

OFFA'S DYKE

In about 784 the great Mercian king, Offa, constructed a dyke as a line of demarcation between his own kingdom and that of the Welsh tribes to the west. A deep ditch and high rampart, it linked with natural barriers to form a boundary that ran from the north coast near Prestatyn to the south coast near Chepstow. Offa's Dyke is the largest of any such earthworks in Europe, and is testimony to the massive power of the king who created it. Several sections of Offa's Dyke are still clearly visible, and a path runs 177 miles (285km) along its route.

CASTELL Y PENRHYN

Codwyd y plasty anarferol hwn o gyfnod Victoria, y tu mewn yn ogystal â'r tu allan, ar ffurf castell Normanaidd. Cafodd ei greu ym 1820–40 gan Thomas Hopper ar gyfer George Dawkins-Pennant, perchennog chwareli llechi lleol, ac mae llechi amlwg yn yr addurniadau a'r dodrefn yn holl ystafelloedd gwych y castell. Yr Ymddiriedolaeth Genedlaethol biau Castell y Penrhyn heddiw, ac fe'i lleolir mewn gerddi hardd a pharciau coediog yn edrych allan dros Borth Penrhyn a dyfroedd y Fenai.

PENRHYN CASTLE

This extravagant Victorian mansion was built, inside as well as outside, in the style of a Norman castle. It was created in 1820–40 by Thomas Hopper for George Dawkins-Pennant, a local slate-quarry owner, and slate is featured in the decorations and furnishings throughout the castle's magnificent rooms. Now owned by The National Trust, Penrhyn Castle overlooks the Menai Strait and is set in beautiful gardens and wooded parkland.

PORTMEIRION

This extraordinary private village was the creation of the Welsh architect Sir Clough Williams-Ellis, who acquired a run-down estate here in 1925 and spent some 50 years developing a fantasy in Mediterranean style. Named by the architect his 'home for fallen buildings', Portmeirion contains many features rescued from other buildings, including stones from a 12th-century castle in the tall campanile and the 18th-century Bath House Colonnade, brought from Bristol. It was in and around Portmeirion that the 1960s cult television classic *The Prisoner* was filmed.

PORTMEIRION

Y pensaer o Gymro, Syr Clough Williams-Ellis, a greodd y pentref preifat rhyfeddol hwn, ar ôl iddo brynu stad yno ym 1925 a oedd wedi dadfeilio. Treuliodd 50 mlynedd yn datblygu ffantasi yn arddull y Môr Canoldir. Galwai Syr Clough y lle yn 'gartref i adeiladau wedi dymchwel', ac ym Mhortmeirion ceir nifer o eitemau a achubwyd o adeiladau eraill, gan gynnwys cerrig o gastell o'r 12fed ganrif yn y clochdy uchel, a Cholonâd y Baddondy o'r 18fed ganrif a ddaeth o Fryste. Yn ardal Portmeirion y ffilmiwyd y clasur teledu *The Prisoner* yn y 1960au.

CASTELL POWYS

Mae'r ffaith ei fod wedi ei ddefnyddio bron yn barhaus wedi sicrhau bod Castell Powys wedi ei ddatblygu a'i ddiogelu. Plasty ydyw a adeiladwyd yn wreiddiol fel caer ar y gororau gan dywysogion Powys Uchaf yn yr Oesoedd Canol. Mae ei erddi terasog godidog o ddechrau'r 18fed ganrif yn bwysig iawn o ran garddwriaeth, a seiliwyd eu cynllun ar erddi hynafol ar lethrau'r Eidal. Y tu mewn i'r tŷ, yn yr ystafelloedd cain, mae nifer o drysorau godidog, gan gynnwys tapestrïau, darluniau a dodrefn hynafol. Yr Ymddiriedolaeth Genedlaethol biau'r tŷ hanesyddol hwn heddiw sy hefyd yn gartref i Amgueddfa Clive.

POWIS CASTLE

Almost continuous occupation has ensured the development and preservation of Powis Castle, a stately home built originally as a border stronghold by the medieval princes of Upper Powys. Its magnificent early 18th-century terraced gardens are of great horticultural importance, their design based on the ancient hillside gardens of Italy. Inside the house, the elegant rooms contain many fine treasures, including tapestries, paintings and antique furniture. This superb historic house is now owned by The National Trust.

PARC CENEDLAETHOL ERYRI A'R WYDDFA

Pennwyd Eryri yn barc cenedlaethol ym 1951 ac mae'n cwmpasu tua 838 milltir sgwâr (2,170km sg), sy'n cynnwys nifer o gadwyni o fynyddoedd. Yng nghysgod y bryniau garw, y cefnau agored, y dyffrynnoedd coediog, y rhaeadrau byrlymus a'r nentydd caregog ceir nifer o drefi bach a phentrefi croesawgar, a'r Gymraeg yn iaith gyntaf iddynt. 'Lle'r eryrod' yw ystyr y gair *Eryri*, ac mae'r ardal yn gynefin naturiol i sawl rhywogaeth o anifeiliaid, adar a phlanhigion prin.

Yr Wyddfa yw'r copa uchaf yn y parc, sef 3,560tr (1085m), a'r mynydd uchaf yng Nghymru a Lloegr. Mae yna nifer o wahanol lwybrau i gerdded neu ddringo i'r copa, ond bydd llawer o ymwelwyr yn dewis teithio ar y rheilffordd fechan enwog o Lanberis.

SNOWDONIA NATIONAL PARK AND MOUNT SNOWDON

Snowdonia, designated a national park in 1951, covers some 838 square miles (2,170sq km) and includes several mountain ranges. Nestled amongst the varied landscape of rugged heights, windswept ridges, wooded glens, tumbling waterfalls and rocky streams are many small towns and villages where Welsh is the first language. Named *Eryri* in Welsh, meaning 'place of eagles', Snowdonia provides the natural habitats for many species of rare animals, birds and plants.

The park takes its English name from its highest peak, Snowdon, which at 3,560ft (1085m) is the highest mountain in England and Wales. There are several different walking routes to the summit, but many visitors take the easy option and board the famous rack-and-pinion railway from Llanberis.

LLYN EFYRNWY

Islaw llethrau coediog mynyddoedd y Berwyn mae Llyn Efyrnwy, ynghanol corstir a choedydd. Mae'n arbennig o boblogaidd gan bobl sy'n gwylio adar, gan fod yno amrywiaeth o adar prin. Er mai cronfa ddŵr yw'r llyn mewn gwirionedd, a grewyd ym 1886–90 i ddarparu dŵr i Lerpwl, cafodd ei chreu ar lawr llyn naturiol a oedd wedi ei lunio yn ystod Oes yr Iâ. Ymhlith y cyfleusterau ger y llyn mae llwybrau natur, mannau picnic a chanolfan ymwelwyr.

LAKE VYRNWY

Situated beneath the wooded slopes of the Berwyn hills, Lake Vyrnwy (pronounced Vernooy), with its surrounding moor and woodland, is particularly popular with bird-watchers, being home to a wide variety of rare species. Although the lake is in fact a reservoir, made in 1886–90 to provide water for Liverpool, it was created in a lake basin that was scooped out in the Ice Age. Facilities at the lake include nature trails, bird-watching hides, picnic areas, a shop and a visitor centre.